DAS BIO-QUINOA-KOCHBUCH

50 GESUNDE & REICHE REZEPTE

ORLANTHA BESSER

TABLE OF CONTENTS

EINFÜHRUNG 6

QUINOA-HAUPTGERICHTE 8

1.   HERBST-QUINOA & BUTTERBOHNEN 8
2.   GEBACKENE MINI-KÜRBISSE 10
3.   BASIS-QUINOA 12
4.   VIERZIG KARAT QUINOA 14
5.   SCHWARZE BOHNEN & QUINOA-CHILI 16
6.   HÜHNCHEN MIT GERSTE UND QUINOA 18
7.   HÜHNER-, QUINOA- UND MAIS-EINTOPF 20
8.   MUSCHELN MIT QUINOA 22
9.   CREMIGE QUINOA PRIMAVERA 24
10. QUINOA NACH KREOLISCHER ART 26
11. SCHMUTZIGES QUINOA-DRESSING 28
12. GARTEN EDEN QUINOA PILAF 30
13. GEGRILLTE CHORIZO AUF QUINOA 32
14. ERNTE GEMÜSE UND QUINOA 34
15. LAMM-QUINOA-EINTOPF 36
16. ZITRONEN-KRÄUTER-QUINOA 38
17. QUINOA-PILAW AUS DER MIKROWELLE 40
18. QUINOA NACH MAROKKANISCHER ART 42
19. PILZ-ERBSEN-RISOTTO 44
20. DRECKIGE QUINOA 46
21. PINTOS UND QUINOA MEXICANA 48
22. POBLANOS MIT QUINOA-FÜLLUNG 50
23. QUINOA-RIND 52
24. QUINOA UND FRUCHTFÜLLUNG 54
25. QUINOA-NUSS-DRESSING 56
26. QUINOA-AUFLAUF 58

27.   QUINOA-KAVIAR 60

28.   QUINOA-MAIS-NUDELN 62

29.   QUINOA-MAIS VERACRUZ 64

30.   QUINOA-JAMBALAYA 66

31.   QUINOA-LAUCH-AUFLAUF 68

32.   ABENDESSEN IN DER QUINOA-PFANNE 70

33.   QUINOA GEFÜLLTE PAPRIKA 72

34.   QUINOA BROKKOLI RABE 74

35.   QUINOA MIT GRÜNEN BOHNEN 76

36.   QUINOA MIT JOHANNISBEEREN 78

37.   QUINOA MIT SHIITAKE-SAUCE 80

38.   QUINOA MIT TOMATEN 82

39.   MIT QUINOA GEFÜLLTER KÜRBIS 84

40.   QUINOA-TOFU-AUFLAUF 86

41.   SALPICON DE QUINOA 88

42.   SCHARLACHROTE QUINOA 90

43.   GEWÜRZTE QUINOA-TIMBALES 92

44.   SPARGEL MIT QUINOA 94

45.   QUINOA-PILAW MIT MAIS 96

46.   QUINOA SAUTIERT MIT ORANGE 98

47.   GEMÜSE- UND QUINOA-TORTILLAS 100

48.   QUINOA & KURI-KÜRBIS 102

49.   WALNUSS-ROSMARIN-QUINOA 104

50.   WILDREIS MIT QUINOA 106

FAZIT 108

EINFÜHRUNG

Was ist Quinoa?

Quinoa ist ein glutenfreies Saatgut, das ein großartiger Ersatz für Reis und andere Körner sein kann.

Quinoa ist heutzutage immer noch alles, worüber man spricht. Überall gibt es Quinoa-Salate, gebratenen Quinoa-Reis und jetzt sogar Quinoa-Proteinshakes. Vor Tausenden von Jahren in Südamerika geschmiedet und von den Inka „das Mutterkorn" genannt, gilt Quinoa auch heute noch als Superfood.

Aber wann und warum wurde Quinoa so beliebt? Was macht diesen kohlenhydratarmen Reisersatz trotz all der Jahre so wertvoll in der Welt der Ernährung?

Insgesamt hat Quinoa eine unglaubliche Nährstoffgrundlage. Im Vergleich zu raffiniertem Getreide gelten Vollkornprodukte wie Quinoa laut der Mayo Clinic als bessere Quellen für Ballaststoffe, Proteine, B-Vitamine und Eisen. Aber abgesehen von diesen wichtigen Nährstoffen ist der Proteingehalt eines der besten Nährstoffprofile, das Quinoa bieten kann.Da Protein 15 Prozent des Getreides ausmacht, ist Quinoa eine proteinreiche, fettarme Getreideoption, wie vom Grains & Legumes Nutrition Council berichtet.

Es ist auch von Natur aus glutenfrei, reich an Ballaststoffen und liefert viele wichtige Vitamine und Mineralstoffe, einschließlich Vitamin B und Magnesium, führt die MyPlate-Richtlinien des US-Landwirtschaftsministeriums auf. Aufgrund seines hohen Nährstoffgehalts ist Quinoa eine wunderbare Wahl für Menschen, die sich glutenfrei oder allgemein gesund ernähren.

QUINOA-HAUPTGERICHTE

1. Herbst-Quinoa & Butterbohnen

Zutat

- $\frac{1}{2}$ Tasse Quinoa

- 2 Esslöffel Margarine

- $\frac{3}{4}$ Tasse fein gehackte Zwiebel

- $\frac{3}{4}$ Tasse Orangensaft Wasser

- 2 Esslöffel Honig

- $\frac{1}{2}$ Teelöffel Salz

- Prise Koriander/Kardamom/Muskatnuss

- 1 Tasse gewürfelte Süßkartoffel (1/2" Stücke)

- 1 Tasse gewürfelter Butternusskürbis

- 1½ Tasse gekochte/Dosenbutterbohnen

- ¼ Tasse gehackte Preiselbeeren

Schmelzen Sie die Margarine in einem 2-Liter-Topf bei mittlerer Hitze. Fügen Sie die Zwiebel und den Ingwer hinzu und kochen Sie unter Rühren, bis die Zwiebel weich ist.

Orangensaft, Wasser, Honig, Salz, Koriander, Kardamom und Muskatnuss einrühren; zum Kochen bringen. Rühren Sie die Süßkartoffel und den Kürbis ein; zum Kochen bringen. Kochen, aufgedeckt, 7 Minuten. Butterbohnen und Quinoa einrühren und wieder aufkochen.

Hitze reduzieren und zugedeckt 15 Minuten köcheln lassen. Die Preiselbeeren einrühren; köcheln lassen, abgedeckt, 5 Minuten länger.

2. Gebackene Mini-Kürbisse

Zutat

- 8 Miniaturkürbisse (3/4 lb ea)

- $1\frac{1}{2}$ Tasse Milch und 3 Eier

- 1 Prise Salz

- $\frac{1}{2}$ Tasse hellbrauner Zucker

- 1 Teelöffel Vanilleextrakt

- $1\frac{3}{4}$ Tasse gekochter Quinoa

- $\frac{1}{2}$ Teelöffel Zimt

- $\frac{1}{4}$ Teelöffel Kürbiskuchengewürz

- 1 mittelgroßer Apfel geschält, fein gehackt

- 6 bis 8 getrocknete Feigen, gewürfelt

- $\frac{1}{2}$ Tasse geröstete Pekannüsse

- 1 Tasse Sahne

- 1 Esslöffel Feinzucker

- 1 Teelöffel Brandy

In eine große Rührschüssel Milch und Eier geben und verquirlen. Salz, Zucker, Vanille hinzufügen und nochmals verquirlen. Dann die gekochte Quinoa und die restlichen Zutaten außer Sahne, Zucker und Brandy unterrühren.

Jeden Kürbis mit 4-5 EL der Füllung füllen. Gießen Sie 1 Zoll kochendes Wasser in den Boden der Pfannen und backen Sie 45-60 Minuten lang. Rahm und Zucker mit einem Rührbesen steif schlagen. Dann den Brandy einrühren und beiseite stellen.

3. Basis-Quinoa

Ausbeute: 1 Portion

Zutat

- 1 Tasse Quinoa

- 2 Tassen Bouillon

Bouillon aufkochen, Quinoa einrühren und wieder aufkochen.

Die Hitze reduzieren, zudecken und 10-15 Minuten köcheln lassen, oder bis die Flüssigkeit absorbiert ist und die Quinoa transparent und zart ist. Quinoa kann auch vor dem Kochen geröstet werden. Befolgen Sie die Anweisungen für Hirse oben.

4. vierzig Karat Quinoa

Ausbeute: 1 Portion

Zutat

- 2 Esslöffel Butter

- 1 kleine Zwiebel,; gehackt

- $\frac{1}{4}$ Teelöffel Currypulver

- 2 kleine Karotten, geschält und gehackt;

- 1⅔ Tasse frische Hühnerbrühe oder aus der Dose

- ⅔ Tasse Quinoa,; gespült und abgetropft

- $\frac{1}{4}$ Teelöffel gemahlener Kreuzkümmel

- Salz und frisch gemahlener schwarzer Pfeffer

- Gehackte frische Petersilie zum Garnieren

Butter in einem Topf bei mittlerer Hitze schmelzen. Zwiebel, Currypulver und Karotten dazugeben und 5 Minuten kochen. Tasse Hühnerbrühe einrühren. Zum Kochen bringen. Reduzieren Sie die Hitze auf mittel-niedrig und kochen Sie, bedeckt, 20 Minuten.

Gemüse mit einem Schaumlöffel aus der Pfanne nehmen und in einer Küchenmaschine oder einem Mixer pürieren. Zurück in die Pfanne, restliche Brühe hinzufügen und aufkochen.

Quinoa einrühren, Hitze reduzieren und zugedeckt bei mittlerer bis niedriger Hitze köcheln lassen, bis Quinoa zart ist, 12 bis 15 Minuten. Kreuzkümmel einrühren und mit Salz und Pfeffer abschmecken. Mit Petersilie bestreuen.

5. Schwarze Bohnen & Quinoa-Chili

Ausbeute: 8 Portionen

Zutat

- 1 Tasse Quinoa; gespült und abgetropft

- 1 Esslöffel Pflanzenöl

- 1 große Zwiebel; gewürfelt

- 1 grüne Paprika; ausgesät und

- 1 Tasse Sellerie; gehackt

- 1 Jalapeno-Pfeffer; ausgesät und

- 2 Tomaten; entkernt und gewürfelt

- 1 Tasse Karotten; gewürfelt

- 32 Unzen schwarze Bohnen, in Dosen;

- 28 Unzen zerkleinerte Tomaten in Dosen

- 1 Esslöffel getrocknete Petersilie

- Prise Kreuzkümmel, Oregano, schwarzer Pfeffer, Salz

- 4 Frühlingszwiebeln; gehackt

Öl in einem Topf erhitzen; Zwiebel, Paprika, Sellerie und Jalapeño hinzufügen. 7 Minuten bei mittlerer Hitze anbraten. Frische Tomaten und Karotten einrühren; 3 bis 4 Minuten anbraten. Bohnen, zerdrückte Tomaten und Gewürze einrühren; etwa 25 Minuten bei schwacher Hitze kochen.

Chili in Schüsseln anrichten und nach Belieben mit Frühlingszwiebeln belegen. Ergibt 8 Portionen

6. Hühnchen mit Gerste und Quinoa

Ausbeute: 3 Portionen

Zutat

- 3 Hähnchenbrust ohne Haut, ohne Knochen

- 3 Tassen Wasser; Geteilt

- $\frac{3}{4}$ Tasse Perlgerste

- $\frac{1}{4}$ Tasse Quinoa

- Salz; Schmecken

- 28 Unzen gehackte Tomaten

In den Crockpot Hähnchenbrusthälften, 2 C Wasser, Graupen, Quinoa (Sie müssen die

Quinoa sehr gut abspülen, bevor Sie sie in den Crockpot geben), gehackte Tomaten mit Saft.

2 Stunden lang auf HIGH stellen (während dieser Zeit prüfen, ob die Flüssigkeit nicht auskühlt)

Nach 2 Stunden umrühren und die Einstellung für 3 Stunden auf niedrig ändern und Salz und 1 c Wasser hinzufügen.

7. Hühner-, Quinoa- und Mais-Eintopf

Zutat

- 2½ Tasse gefrorene Maiskörner

- ¾ Tasse Orzo

- 1 Tasse Quinoa

- 10 Tassen Wasser

- 4 Esslöffel fettfreie Hühnerbrühe

- 4 Hähnchenbrust ohne Haut, ohne Knochen

- 2 Schalotten; Fein gehackt

- 1 Knoblauchzehe; Gehackt

- $\frac{1}{2}$ Teelöffel Rapsöl

- 2 Lorbeerblätter

- Dash Thymian, Oregano, Majoran

Die vorbereiteten Hähnchenstreifen im Rapsöl garen. Fügen Sie die Schalotte und den Knoblauch hinzu und kochen Sie, bis das Huhn nicht rosa aussieht. Die gefrorenen Maiskörner und Orzo in den Suppentopf geben.

Die vegetarische Hühnerbrühe (oder fettfreie Hühnerbrühe), Wasser, Lorbeerblätter und Gewürze in den Topf geben.

Zum Kochen bringen und dann auf ein mäßiges Köcheln reduzieren. 30 Minuten kochen.

8. Muscheln mit Quinoa

Ausbeute: 1 Portion

Zutat

- 24 Kleinhalsmuscheln

- $\frac{3}{4}$ Tasse Quinoa

- 3 Esslöffel Olivenöl

- 1 Zwiebel; fein gehackt

- 4 Knoblauchzehen; fein gehackt

- 2 Jalapeño-Chilis

- 1 Lorbeerblatt

- Dash Gemahlener Kreuzkümmel, Pfeffer, Salz

- 1 Esslöffel Tomatenmark

- 8 kleine rote Rosenkartoffeln; geviertelt

- 1 Tasse Weißwein

- 2 Knoblauchzehen; zersplittert

- 1 rote Paprika

Das Olivenöl bei mittlerer bis niedriger Hitze erhitzen. Fügen Sie die Zwiebel hinzu und braten Sie sie an. Knoblauch, Chilis, Lorbeerblatt, Kreuzkümmel und Pfeffer hinzufügen. Tomatenmark, gehackte Muscheln und Kartoffeln dazugeben und verrühren. Gießen Sie 4 ½ Tassen des reservierten Muschelsafts hinzu, bringen Sie ihn zum Köcheln und kochen Sie ihn 10 Minuten lang. Quinoa einrühren und weitere 25 Minuten kochen lassen, dabei gelegentlich umrühren.

in einem anderen großen Topf den Weißwein bei mittlerer Hitze auf die Hälfte reduzieren. Knoblauch, Salz, Pfefferflocken, rote Paprika in Julienne und die restliche ½ Tasse Muschelsaft hinzufügen und 5 Minuten kochen lassen, dabei gelegentlich umrühren. Fügen Sie die kleinen Hälse für 15 Minuten hinzu.

9. Cremige Quinoa primavera

Ausbeute: 1 Portion

Zutat

- 1½ Tasse ungekochter Quinoa

- 3 Tassen Hühnerbrühe

- 2 Unzen Frischkäse

- 1 Esslöffel frisch gehackt

- 2 Teelöffel Margarine oder Butter

- 2 Knoblauchzehen; fein gehackt

- 5 Tassen verschiedenes Gemüse

- 2 Esslöffel geriebener Romano-Käse

Quinoa gründlich abspülen; ablassen. Quinoa und Brühe zum Kochen in einem 2-Liter-Kochtopf erhitzen; Hitze reduzieren. Bedecken und köcheln Sie 10 bis 15 Minuten oder bis die gesamte Brühe absorbiert ist. Frischkäse und Basilikum unterrühren.

Margarine in einer 10-Zoll-Antihaft-Pfanne bei mittlerer Hitze schmelzen. Knoblauch in Margarine etwa 30 Sekunden unter häufigem Rühren goldbraun kochen.

Gemüse einrühren. Unter häufigem Rühren etwa 2 Minuten kochen, bis das Gemüse knusprig-zart ist. Gemüse und Quinoa-Mischung vermengen. Mit Romano-Käse bestreuen.

10.   Quinoa nach kreolischer Art

Zutat

- 1 Tasse Quinoa

- Salz

- 1 Esslöffel Olivenöl

- 1 Zwiebel; fein gehackt

- 3 Knoblauchzehen; gehackt

- $\frac{1}{2}$ rote Paprika

- $\frac{1}{2}$ grüne Paprika

- 1 reife Tomate; fein gehackt

- Gemahlener Kreuzkümmel, getrockneter Oregano

- Trockener Weißwein

- Tomatensauce

- 2 Lorbeerblätter

- Salz und frisch gemahlener Pfeffer

- 1 Tasse gekochte schwarze Bohnen (optional)

- $\frac{1}{4}$ Tasse frische Petersilie;

Wasser zum Kochen bringen, mit Salz abschmecken und Quinoa einrühren.

Öl in einer großen beschichteten Pfanne erhitzen

Zwiebel, Knoblauch und Paprika dazugeben. Tomaten, Kreuzkümmel und Oregano unterrühren, 1 Minute kochen. Wein oder Hühnerbrühe einrühren, aufkochen. Tomatensauce und Lorbeerblätter einrühren. Köcheln lassen, bis die Sauce dick ist. Gekochte Quinoa, schwarze Bohnen, falls verwendet, und die Hälfte der Petersilie unterrühren. Bei mittlerer Hitze 5 Minuten kochen lassen.

11. Schmutziges Quinoa-Dressing

Ausbeute: 4 Portionen

Zutat

- 1 Tasse Quinoa

- 1 Esslöffel Pflanzenöl

- 2 Esslöffel gehackte Zwiebel

- 2 Esslöffel gehackte Champignons

- 1 Esslöffel gehackter grüner Pfeffer

- 1 Esslöffel gehackter Sellerie

- 1 Bayou-Explosion

- 8 Unzen Hühnerleber

- 2 Tassen Hühnerbrühe; vielleicht weniger

- 1 gehackte Petersilie; für garnieren

- 1 gehackte Frühlingszwiebeln; für garnieren

Eine Bratpfanne bei starker Hitze erhitzen, Quinoa und Toastkörner hinzufügen und mit einem Holzlöffel aufbrechen, bis sie trocken und duftend sind, etwa 3 Minuten. In einem großen Topf Öl erhitzen, gehackte Zwiebeln, Champignons, grüne Paprika, Sellerie, Bayou Blast hinzufügen und 5 Minuten unter häufigem Rühren und Rühren kochen, bis sie weich sind. Fügen Sie Leber hinzu und werfen Sie, um mit Gemüse und ihren Säften zu beschichten.

Brühe und geröstete Quinoa unterrühren. Zum Kochen bringen, abdecken und die Hitze auf sehr niedrig reduzieren. Köcheln lassen, bis das Korn weich ist, etwa 15 Minuten. Abschmecken und gegebenenfalls nachwürzen.

Mit Petersilie und Frühlingszwiebeln garniert servieren. Dieses Rezept ergibt etwa 3 Tassen oder 4 Portionen.

Ausbeute: 6 Portionen

Zutat

- 2 Esslöffel Maisöl

- 2 Tassen Quinoa

- $\frac{1}{2}$ Teelöffel Zimt

- $\frac{1}{4}$ Teelöffel gemahlener Kardamom

- $\frac{1}{2}$ Tasse Pinienkerne; oder gehobelte Mandeln

- $\frac{1}{2}$ Tasse Karotten; gewürfelt

- 1 Tasse geschälte Erbsen; ODER

- 1 Tasse gefrorene Erbsen; aufgetaut

- Salz; schmecken

- 3½ Tasse heißes Wasser

In einer schweren, flachen Kasserolle oder einer tiefen Pfanne Quinoa in Öl bei schwacher Hitze leicht goldbraun rösten. Zimt und Kardamom hinzufügen. Rühren und weiter rösten für 1-2 Minuten. Fügen Sie die restlichen Zutaten außer Wasser hinzu; 1 Minute rühren. Wasser hinzufügen und zum Kochen bringen, dabei zwei- bis dreimal umrühren; auf ein Köcheln reduzieren.

Startseite; dämpfen lassen, bis alles Wasser aufgesogen ist und Quinoa flauschig aussieht, ca. 20 Minuten.

13.   Gegrillte Chorizo auf Quinoa

Ausbeute: 4 Portionen

Zutat

- 3 Esslöffel ungesalzene Butter

- 1 Tasse zerbrochene Fadennudeln

- ½ mittelgroße Zwiebel; gewürfelt

- 6 Tassen Hühnerbrühe

- 3 Tassen Quinoa; Bio wenn möglich

- 2 Esslöffel Olivenöl

- 1 mittelgroße Zwiebel; geschält und julienned

- 4 Knoblauchzehen; geschält und gehackt

- 2 Teelöffel spanischer Paprika

- 1 Teelöffel gemahlener Kreuzkümmel

- 4 Paprika; rot und gelb,

- 2 Poblano-Chilis; geröstet, geschält

- 1 Tasse Hühnerbrühe

- 6 große Chorizo-Glieder

Machen Sie die Quinoa. Fadennudeln hinzufügen und unter häufigem Rühren kochen, bis die Nudeln goldbraun geworden sind. Fügen Sie die Zwiebel hinzu und braten Sie noch einige Minuten, bis die Zwiebel weich ist und anfängt, golden zu werden. Hühnerbrühe oder Wasser hinzufügen und zum Kochen bringen und Quinoa hinzufügen.

Olivenöl erhitzen und julienned Zwiebeln, Knoblauch hinzufügen und kochen, dann Paprika und Kreuzkümmel hinzufügen und 1 Minute kochen. Fügen Sie Paprika, Chilis und Hühnerbrühe hinzu und kochen Sie 10 bis 15 Minuten oder bis die Mischung eindickt.

Grillen Sie die Chorizo-Links etwa 8 bis 10 Minuten über einem mäßig heißen Feuer.

14.   Ernte Gemüse und Quinoa

Zutat

- 1½ Tasse Quinoa

- 4 Tassen Wasser

- ½ Teelöffel Salz

- 1 mittlere Rübe; geschält und gewürfelt

- 4 mittelgroße Karotten

- 1 kleine Steckrüben; geschält und gewürfelt

- 1 Tasse geschälter, gewürfelter Butternusskürbis

- 1 Teelöffel Olivenöl

- 1 kleine gelbe Zwiebel; gewürfelt

- 1 große Knoblauchzehe; gehackt

- $\frac{1}{4}$ Tasse gehackte frische Salbeiblätter

- Salz und weißer Pfeffer

In einem mittelgroßen Topf die gespülte Quinoa mit Wasser und Salz vermischen. Zum Kochen bringen, dann zugedeckt köcheln lassen, bis es gerade gar ist (ca. 10 Minuten). Abgießen, mit kaltem Wasser abspülen und beiseite stellen.

Kombinieren Sie Rüben, Karotten, Steckrüben und Kürbis in einem großen Topf mit einem Gemüsedämpfer. Gemüse 7 bis 10 Minuten dämpfen, oder bis es weich ist

In einer großen beschichteten Pfanne Zwiebel und Knoblauch in Öl anbraten, bis die Zwiebel weich ist, etwa 4 Minuten. Salbeiblätter einrühren und kochen, bis der Salbei leicht gebräunt ist und duftet, 1 bis 2 Minuten.

Quinoa und Gemüse in die Pfanne geben und gut vermischen. Mit Salz und Pfeffer abschmecken, bei Bedarf erhitzen und heiß servieren.

Ausbeute: 4 Portionen

Zutat

- $1\frac{1}{2}$ Pfund Pflaumentomaten

- 1 Pfund feste Aubergine

- $\frac{1}{4}$ Tasse Olivenöl

- 2 rote Paprika

- 2 gelbe Zwiebeln

- 1 rote Zwiebel,

- 3 große Karotten

- 2 Pfund Lammschulter ohne Knochen

- 1 Pfund Butternusskürbis,

- Zimtstangen, Kreuzkümmel, Ingwer, Piment

- 6 Tassen Hühnerbrühe

- $\frac{3}{4}$ Tasse Quinoa, gut ausgespült

Gemüse im mittleren und unteren Drittel des Ofens 20 Minuten rösten

Während das Gemüse röstet, braunes Lamm

Öl in den Wasserkocher geben und Kürbis, Knoblauch und Gewürze bei mäßiger Hitze unter Rühren 2 Minuten kochen. Lamm zurück in den Kessel geben und geröstetes Gemüse und Brühe hinzufügen. Eintopf zum Kochen bringen und zugedeckt 1 Stunde köcheln lassen.

Quinoa einrühren und ohne Deckel köcheln lassen, dabei gelegentlich umrühren, 30 Minuten.

Ausbeute: 6 Portionen

Zutat

- 1 Tasse Quinoa

- $1\frac{1}{2}$ Esslöffel Pflanzenöl Wasser

- $\frac{3}{4}$ Teelöffel getrockneter Majoran

- $\frac{1}{2}$ Teelöffel getrockneter Thymian

- $\frac{1}{4}$ Teelöffel getrockneter Rosmarin

- 3 Esslöffel gehackte Petersilie

- 2 Esslöffel frischer Zitronensaft

- $\frac{3}{4}$ Teelöffel Salz

- $\frac{1}{2}$ Teelöffel abgeriebene Zitronenschale

- $\frac{1}{4}$ Teelöffel Pfeffer

Bei mittlerer Hitze das Öl in einem 2-Liter-Topf erhitzen. Den gespülten Quinoa dazugeben und unter Rühren kochen, bis der Quinoa knackende und knallende Geräusche macht, etwa 3 bis 5 Minuten. Wasser, Majoran, Thymian und Rosmarin unterrühren. Zum Kochen bringen, Hitze reduzieren und zugedeckt 15 Minuten köcheln lassen.

Petersilie, Zitronensaft, Salz, Zitronenschale und Pfeffer einrühren.

Zugedeckt 5 Minuten länger köcheln lassen. Mit einer Gabel auflockern.

17. Quinoa-Pilaw aus der Mikrowelle

Ausbeute: 4 Portionen

Zutat

- ¼ Tasse rote Paprika; gewürfelt

- 2 Knoblauchzehen; gehackt

- 1 kleine Zwiebel; gehackt

- ¾ Tasse Quinoa

- 1½ Tasse Gemüsebrühe

Pfeffer, Knoblauch, Zwiebel und Sesamöl in ein 4-Tassen-Glas geben.

Mikrowelle unbedeckt auf High für 2 Minuten stellen und umrühren. Quinoa und Brühe hinzufügen und 5 Minuten auf höchster Stufe in die Mikrowelle stellen, dabei einmal umrühren. Mikrowelle auf Medium (50 %) für 15 Minuten

Rühren. Mikrowelle auf höchster Stufe weitere 2 Minuten oder bis die Flüssigkeit aufgesogen ist. Körner sollten perlmutt sein, mit weißen Umrissen sichtbar.

Mit einer Gabel auflockern.

18. Quinoa nach marokkanischer Art

Ausbeute: 4 Portionen

Zutat

- 1 Tasse Kichererbsen, gekocht
- 1 2"Streifen Kombu Seetang, gekocht
- 3 kleine Zwiebeln; geviertelt
- 1 Tasse Karotten; in Stücke schneiden
- 1 Tasse Rüben; in Stücke schneiden
- 1 Teelöffel Meersalz
- 2 Knoblauchzehen

- 1 Lorbeerblatt

- ¼ Teelöffel Kreuzkümmel

- Pfeffer; schmecken

- 2 Esslöffel Olivenöl

- 2 Tassen ganzer Rosenkohl

- 2 Tassen Quinoa, abgespült

Zwiebeln, Karotten und Rüben auf die Kichererbsen geben und so viel Wasser oder Brühe hinzufügen, dass das Gemüse gerade bedeckt ist. Fügen Sie Salz, Knoblauch, Lorbeer, Kreuzkümmel, Pfeffer und Olivenöl hinzu. Abdecken und zum Kochen bringen. Rosenkohl hinzufügen und weitere 10 Minuten kochen.

Eine dünne Pfanne erhitzen, Öl hinzufügen und unter ständigem Rühren Quinoa 10 Minuten rösten. In die kochende Brühe geben, abdecken und 15 bis 20 Minuten köcheln lassen.

19.   Pilz-Erbsen-Risotto

Zutat

- 2 Esslöffel Olivenöl

- 1 Pfund weiße Champignons

- 1 Esslöffel gehackter Knoblauch

- $\frac{1}{4}$ Tasse gehackte frische italienische Petersilie

- Salz und frisch gemahlener Pfeffer nach Geschmack

- 2 Esslöffel Olivenöl

- 1 Tasse Couscous

- 4 Tassen natriumarme Hühnerbrühe

- ½ Teelöffel gemahlene Kurkuma

- 1 Tasse Quinoa, abgespült

- 1 Tasse fein gehackte Frühlingszwiebeln

- 2 Tassen gefrorene kleine Erbsen

- Frische Petersilienblätter zum Garnieren

- Frisch geriebener Parmesan nach Geschmack

Olivenöl erhitzen und die Champignons anbraten, Knoblauch unter Rühren dazugeben, bis sie leicht gebräunt sind. Petersilie unterrühren und mit Salz und Pfeffer abschmecken. In einem schweren Topf 1 EL Olivenöl erhitzen, den Couscous anbraten, dabei umrühren, bis er bedeckt ist

1 Tasse kochende Brühe und Kurkuma einrühren.

1 EL Olivenöl erhitzen und Frühlingszwiebeln anbraten

Die abgespülte Quinoa unterrühren. Champignons, Couscous, Brühe und Erbsen zugeben.

20.　　dreckige Quinoa

Ausbeute: 8 Portionen

Zutat

- 1 Esslöffel Olivenöl

- 4 Unzen Hühnerleber; fein gehackt

- 1 Tasse gehackte Zwiebel

- $\frac{3}{4}$ Tasse gewürfelter Sellerie

- $\frac{1}{2}$ Tasse gewürfelte grüne Paprika

- 2 Esslöffel gehackte Schalotten

- $\frac{1}{2}$ Pfund magerer Speck nach kanadischer Art;

- 2 große Knoblauchzehen; gehackt

- 1 Lorbeerblatt

- 3 Tassen Quinoa; gespült

- 1 Esslöffel Worcestershiresauce

- 2 Teelöffel kreolisches Gewürz

- $\frac{1}{4}$ Teelöffel scharfe Soße

- $27\frac{1}{2}$ Unzen Hühnerbrühe

- $\frac{1}{2}$ Tasse geschnittene Frühlingszwiebeln

Olivenöl in einem großen Topf bei mittlerer Hitze erhitzen. Fügen Sie Hühnerleber hinzu und braten Sie 4 Minuten oder bis sie fertig sind. Fügen Sie Zwiebel und nächste 6 Zutaten hinzu; 3 Minuten anbraten, oder bis das Gemüse knusprig-zart ist. Quinoa hinzufügen und 2 Minuten kochen lassen, dabei ständig umrühren. Tasse Wasser und die nächsten 4 Zutaten hinzufügen; zum Kochen bringen.

Vom Herd nehmen; Lorbeerblatt wegwerfen und in Scheiben geschnittene Frühlingszwiebeln einrühren.

Pintos und Quinoa Mexicana

Ausbeute: 1 Portion

Zutat

- 3 Tassen geschnittene Paprika und Zwiebeln

- 3 Tassen gekochte Pintobohnen

- 2 Tassen Quinoa; gut gespült, um bitteren Belag zu entfernen

- 2 Tassen Gefrorener Zuckermais

- 4 Knoblauch

- 2 Esslöffel Chilipulver

- 1 Teelöffel gemahlener Kreuzkümmel

- 2 Teelöffel Oregano gemahlen

- 1 Teelöffel Salz

Paprika und Zwiebeln in eine große Pfanne oder einen Schmortopf geben. Wenn Sie den gefrorenen Ofen verwenden, braten Sie, bis das meiste Wasser gekocht ist, kein Öl erforderlich, frisches Gemüse wird in seiner eigenen Flüssigkeit anbraten, fügen Sie einen Esslöffel Olivenöl hinzu, wenn Sie darauf bestehen

Kräuter und Gewürze hinzufügen, ein bis zwei Minuten anbraten. Alle anderen Zutaten dazugeben, zum Köcheln bringen, locker abdecken und ca. 20 Minuten köcheln lassen, Hitze entfernen und zugedeckt weitere 10 Minuten stehen lassen.

Poblanos mit Quinoa-Füllung

Ausbeute: 8 Portionen

Zutat

- 8 mittelgroße Poblano-Paprika

- 4 Tassen natriumarme Hühnerbrühe

- 2 Tassen Quinoa

- 2 Esslöffel Olivenöl

- 3 Karotten; getrimmt und gewürfelt

- 1 mittelgroße rote Zwiebel; gewürfelt

- 1 Tasse gehackte Walnüsse; getoastet

- 2 Esslöffel frischer Oregano; gehackt

- 6 Unzen Weicher Ziegenkäse; zerbröckelt

- $\frac{1}{2}$ Teelöffel Salz

- $\frac{1}{4}$ Teelöffel frisch gemahlener Pfeffer

- Ancho-Chilisauce

Poblano über der Gasflamme rösten. Brühe in einem mittelgroßen Topf zum Kochen bringen, Quinoa hinzufügen, gut umrühren und die Hitze auf ein Köcheln reduzieren.

Öl erhitzen und Karotten und Zwiebeln hinzufügen; Koch.

Karottenmischung auf Quinoa übertragen. Walnüsse, Oregano, Käse, Salz und Pfeffer unterrühren. Füllen Sie jede Paprika mit Quinoa-Mischung; in Auflaufform anrichten. Paprika im Ofen erhitzen, bis sie warm sind und die Oberseiten leicht knusprig sind, 20 bis 30 Minuten.

Ancho-Chile-Sauce zubereiten. Zum Servieren auf jedem Teller eine Paprika anrichten, mit Soße umgeben.

Ausbeute: 4 Portionen

Zutat

- 1 Tasse Quinoa, gespült & gekocht

- ½ Packung mageres Fleisch mit Rindfleischgeschmack

- ½ große Zwiebel; gewürfelt

- 2 Knoblauchzehen; gehackt

- ½ roter Pfeffer; gewürfelt

- 1 Tasse gefrorener Mais

- Gemüsebrühe oder Wein zum Anbraten

- $\frac{1}{2}$ Teelöffel gemahlener Kreuzkümmel

- $\frac{1}{4}$ Teelöffel Cayennepfeffer

- $\frac{1}{4}$ Teelöffel gemahlener schwarzer Pfeffer

- Salz nach Geschmack

In einem antihaftbeschichteten Schmortopf die Zwiebel und den Knoblauch in Gemüsebrühe zwei bis drei Minuten anbraten. Fügen Sie das magere Rindfleisch hinzu.

Die restlichen Zutaten (außer den Gewürzen) in den Dutch Oven geben und während des Kochens umrühren. Quinoa dazugeben. Fügen Sie Kräuter und Gewürze hinzu und kochen Sie einige Minuten weiter, um die Petersilie zu erweichen.

Ausbeute: 5 Tassen

Zutat

- $\frac{1}{4}$ Pfund Fenchel-Schweinewurst

- 1 große Zwiebel(n), fein gehackt

- 1 große Knoblauchzehe(n), gehackt

- 1 großer säuerlicher grüner Apfel

- 1 mittelgroße reife Birne geschält und gewürfelt

- 1 große Nabelorange

- ⅔ Tasse getrocknete Johannisbeeren

- ⅔ Tasse geröstete Walnüsse

- 1 Esslöffel Thymianblätter

- 1 Teelöffel Koriandersamen gemahlen

- 3 Tassen gekochte Quinoa

In einer großen Pfanne die zerbröckelte Wurst bei mittlerer Hitze anbraten.Beiseite stellen

In dieselbe Pfanne Zwiebeln und Knoblauch geben und anbraten. Äpfel und Birnen unterrühren.

Die Orange in Stücke schneiden und mit den restlichen Zutaten, einschließlich der reservierten Wurst, in die Pfanne geben. Umrühren, um zu kombinieren, und dann weitere 2 Minuten kochen. Zum Abkühlen beiseite stellen. Kann im Voraus zubereitet werden und Kühlschrank

25.   Quinoa-Nuss-Dressing

Ausbeute: 1 Portion

Zutat

- 1½ Tasse gekochter Quinoa

- 2 Esslöffel Walnüsse oder Pekannüsse

- Fein gehackt

- 2 Esslöffel Haselnüsse

- 2 Esslöffel Pistazienkerne

- 2 Minzblätter, gehackt

- ⅓ Tasse natives Olivenöl extra

- 3 Esslöffel Zitronensaft

- 1 Teelöffel schwarzer Pfeffer

Alle Zutaten in eine Rührschüssel geben und stehen lassen, bis sie als Füllung oder Beilage verwendet werden können.

Ausbeute: 6 Portionen

Zutat

- 1 Tasse Quinoa gespült & geröstet

- 1 Esslöffel Peperoni-Sesamöl

- 1 mittelgroße Zwiebel; gehackt

- 1 Knoblauchzehe geschält und gepresst

- 2 Teelöffel Curry (optional)

- 1 Tasse Sellerie, gehackt

- 1 Bund Brokkoli; gehackt

- 1 Tomate; gehackt

- 3 Esslöffel Eden Shoyu

- 2 Esslöffel Eden Brown Rice Essig

Gespülte Quinoa in der Pfanne rösten, bis sie knallt. Quinoa in eine Auflaufform geben und Wasser hinzufügen. Öl erhitzen, Zwiebeln, Knoblauch und Curry anbraten, bis die Zwiebeln glasig sind. Sellerie, Brokkoli und Tomate zugeben, kurz anbraten und zu Quinoa geben. Shoyu und braunen Reisessig hinzufügen.

45 Minuten bei 350 F backen

27. Quinoa-Kaviar

Ausbeute: 4 1/2 Tassen

Zutat

- 1 kleine Aubergine (10-12 Unzen)

- 1 Esslöffel natives Olivenöl extra

- 1 Zwiebel(n), fein gehackt

- 1 Tasse Quinoa, gekocht

- 2 Tassen Salzwasser

- 2 Knoblauchzehe(n), gehackt

- 3 Esslöffel Koriander, gehackt

- 3 Esslöffel Petersilie, gehackt

- 4 Teelöffel (bis 5 TL) Tamari

- 2 EL Zitronensaft oder nach Geschmack

- Salz und Pfeffer nach Geschmack

Die Auberginen auf einem beschichteten Backblech 40 Minuten rösten.

Auberginen längs halbieren. Das Fruchtfleisch herauskratzen, dabei darauf achten, die Haut nicht zu durchstechen, und mit Knoblauch, Koriander, Petersilie, Tamari und Zitronensaft in eine Küchenmaschine geben. Zu einer glatten Paste pürieren. Die Auberginenmischung unter die Quinoa rühren. Korrigieren Sie die Würze und fügen Sie nach Belieben Tamari, Pfeffer oder Zitronensaft hinzu. Löffel den "Kaviar" zurück in die Auberginenschalen.

Ausbeute: 1 Portion

Zutat

- ½ Tasse Quinoamehl

- ½ Tasse Maismehl

- ⅓ Tasse Tapiokamehl

- 1 Ei

- 1 Esslöffel Pflanzenöl, optional

- 1 Esslöffel auf 2 Wasser, wenn und wie

Es ist sehr zerbrechlich und bricht beim Walzen und Extrudieren leicht.

Rollen Sie es nicht zu dünn und verwenden Sie eine dickere Form wie Fettuccine anstelle von Spaghetti

29.   Quinoa-Mais veracruz

Ausbeute: 1 Portionen

Zutat

- ⅓ Tasse ganze Hirse

- ⅔ Tasse Quinoa, gut ausgespült

- ½ Tasse Gemüsebrühe – oder Wasser

- 1 Tasse gewürfelte Zwiebeln

- 1 rote oder grüne Paprika

- 1 Esslöffel gehackter Knoblauch

- 2 Tassen gewürfelte Tomaten

- ¼ Teelöffel gemahlener roter Pfeffer

- Körner von 2 Ährenmais

- 1 Dose gefrorene Erbsen

- $\frac{1}{2}$ Tasse grob gehackter frischer Basilikum

- 2 Esslöffel gehackte frische Petersilie

- $\frac{1}{2}$ Teelöffel Salz, Pfeffer

- Kidneybohnen, abgetropft

Hirse in einem kleinen Topf bei mittlerer Hitze leicht goldbraun rösten. 1 Tasse Wasser hinzufügen. Zum Kochen bringen; Hitze reduzieren und köcheln lassen, bis sie weich sind, 25 bis 30 Minuten. In der Zwischenzeit Quinoa und 1⅓ Tasse Wasser in einem Topf zum Kochen bringen

Brühe in einer großen Pfanne zum Kochen bringen. Fügen Sie Zwiebeln, roten Pfeffer und Knoblauch hinzu; kochen, bis sie weich sind, 5 Minuten. Tomaten und gemahlenen roten Pfeffer hinzufügen; kochen, bis die Tomate weich und saftig ist, 3 Minuten. Mais, Erbsen und Bohnen einrühren, 1 Minute weiter kochen.

Vom Herd nehmen und Quinoa und Hirse einrühren. Basilikum, Petersilie, Salz und Pfeffer einrühren.

30. Quinoa-Jambalaya

Ausbeute: 6 Portionen

Zutat

- 1 Esslöffel Peperoni-Sesamöl

- 1 Esslöffel Vollkornmehl

- 1 mittelgroße Zwiebel; gewürfelt

- 1 Knoblauchzehe; gehackt

- 28 Unzen zerkleinerte Tomaten

- 1 Lorbeerblatt

- $\frac{1}{2}$ Esslöffel getrockneter Thymian

- $\frac{3}{4}$ Teelöffel Lima Meersalz

- 1 Tasse Eden-Quinoa; gespült

- 1 grüner Pfeffer; gewürfelt

- ½ Tasse Petersilie, gehackt

- 1 Tasse Sellerie; gehackt

- 2 Frühlingszwiebeln; dünn geschnitten

Öl in einem schweren Topf erhitzen. Mehl hinzufügen und rühren, bis ein duftendes Aroma freigesetzt wird (3 Minuten). Zwiebel, Knoblauch, Tomaten, Lorbeerblatt, Thymian und Salz hinzufügen. Mischen und zugedeckt 10 Minuten köcheln lassen. Wasser zur Brühe hinzufügen. Zum Kochen bringen. Quinoa, grüne Paprika, Petersilie, Sellerie und Frühlingszwiebel hinzufügen. Bedecken Sie und kochen Sie weitere 3-5 Minuten länger.

Hitze ausschalten und abgedeckt 10 Minuten ruhen lassen. Pfeffer hinzufügen. Gut mischen. Dienen.

Quinoa-Lauch-Auflauf

Ausbeute: 1 Auflauf

Zutat

- 2 Teelöffel unraffiniertes Sesamöl

- 1 Knoblauchzehe; gedrückt

- 1 Lauch; gehackt

- 2 Tassen gekochte AM Quinoa

- $1\frac{1}{2}$ Tasse Tofu mit überschüssigem Wasser entfernt

- $\frac{1}{2}$ Tasse Milch oder Sojamilch

- 1 Tasse Semmelbrösel

- $\frac{1}{2}$ Tasse geriebener Käse

Die ersten drei Zutaten anbraten, bis sie leicht gebräunt sind. Tofu und Quinoa dazugeben, 2 Minuten weiterbraten. Vom Herd nehmen und Milch hinzufügen, Mischung vorsichtig umrühren. Eine Auflaufform leicht einölen und mit der Hälfte der Semmelbrösel bestreichen. Rest der Semmelbrösel aufheben, um die Mischung damit zu bedecken. Masse in die Auflaufform geben und mit Semmelbrösel und Käse bestreuen. Zugedeckt 20 Minuten bei 350 F backen.

Deckel abnehmen und Käse braun werden lassen. Mit Salz oder Tamari und Pfeffer abschmecken

32. Abendessen in der Quinoa-Pfanne

Ausbeute: 4 Portionen

Zutat

- 1 Tasse Quinoa

- 15 Unzen Tomaten

- 15 Unzen Dosenbohnen

- 15 Unzen Hominy

- $\frac{1}{2}$ Teelöffel Knoblauchpulver

- $\frac{1}{2}$ Teelöffel Zwiebelpulver

- 1 Teelöffel getrocknete Petersilie

- 1 Teelöffel getrocknetes Basilikum

- ½ Teelöffel getrockneter Thymian

- ½ Teelöffel Salz; oder mehr nach Geschmack

Quinoa gründlich abspülen (sonst schmeckt es bitter) und zugedeckt bei schwacher Hitze 15 Minuten in 2 Tassen kochendem Wasser kochen.

Tomaten und Chilis, Bohnen, Hominy, Kräuter und Gewürze unterrühren und gut erhitzen.

Dienen.

33.   Quinoa gefüllte Paprika

Ausbeute: 5 Portionen

Zutat

- 1 Tasse Quinoa, gespült und gekocht

- 4 große oder 6 mittelgroße grüne Paprika

- 1 mittelgroße Zwiebel; gewürfelt

- ½ Pfund Frische Pilze; geschnitten

- 2 Esslöffel Butter

- 28 Unzen Dose Tomaten

- 2 Knoblauchzehen; zerquetscht

- 12 Unzen Salsa

- 2 Esslöffel trockener Sherry

- 10 Unzen Mozzarella-Käse

Dämpfen Sie grüne Paprika, bis sie weich, aber nicht schlaff sind; beiseite legen.

In einer großen Pfanne Zwiebel und Champignons in Butter anbraten. Tomaten, Knoblauchzehen und Salsa hinzufügen. 10 Minuten bei mittlerer Hitze kochen. Sherry hinzufügen; noch 10 Minuten köcheln lassen. Quinoa unterheben.

Paprika in Auflaufform geben; Paprika mit Quinoa-Mischung füllen. Dies dauert etwa die Hälfte der Mischung. Rest mit reserviertem Saft verdünnen und um die Paprika gießen. Käse über Paprika streuen. Backen bei 325 F

Quinoa Brokkoli Rabe

Ausbeute: 5 Portionen

Zutat

- 1 Tasse Quinoa

- 1 Dosen (14 1/2 Unzen) Hühnerbrühe

- 2 Esslöffel natives Olivenöl extra

- $\frac{1}{2}$ Tasse gehackte Zwiebel

- 1 Teelöffel gehackter Knoblauch

- 1 großes Bund Brokkoli Rabe

- $\frac{1}{4}$ Teelöffel gehackt

- $\frac{1}{4}$ Teelöffel Paprikaflocken

Quinoa unter Rühren in einer beschichteten Pfanne bei mittlerer Hitze 5 Minuten rösten. Brühe und Wasser in einem mittelgroßen Topf zum Kochen bringen; Quinoa einrühren.

Hitze auf mittel-niedrig reduzieren; zugedeckt 12 bis 15 Minuten köcheln lassen, bis die Flüssigkeit aufgesogen ist und Quinoa zart ist. Mit einer Gabel auflockern und in eine große Schüssel geben; abdecken und warm halten.

Öl in einer großen beschichteten Pfanne bei mittlerer Hitze erhitzen. Fügen Sie Zwiebel und Knoblauch hinzu; 3 Minuten kochen. Brokkoliraben, Salz und roten Pfeffer einrühren. Kochen, bis Brokkoli Rabe zart ist, 5 bis 7 Minuten. Gemüse in Quinoa einrühren.

Quinoa mit grünen Bohnen

Ausbeute: 4 Portionen

Zutat

- 1 Tasse Wasser

- 1 Tasse Quinoa, gespült

- $\frac{3}{4}$ Pfund Grüne Bohnen

- 1 Tasse Pflaumentomaten

- $\frac{1}{2}$ Teelöffel Knoblauch; gehackt

- $\frac{3}{4}$ Teelöffel Salz; oder nach Geschmack

- $\frac{1}{2}$ Tasse Basilikum; frisch, gehackt

- 2 Esslöffel Zitronensaft; frisch

Wasser im Schnellkochtopf zum Kochen bringen. Quinoa, grüne Bohnen, Tomaten, Knoblauch und Salz hinzufügen.

Verriegeln Sie den Deckel. Bei starker Hitze auf hohen Druck bringen und 1 Minute kochen lassen. Lassen Sie den Druck 10 Minuten lang auf natürliche Weise sinken.

Lassen Sie den verbleibenden Druck schnell ab. Nehmen Sie den Deckel ab und kippen Sie ihn von sich weg, damit überschüssiger Dampf entweichen kann.

Basilikum und Zitronensaft unterrühren und die Quinoa kurz vor dem Servieren auflockern. Großartig heiß, Raumtemperatur oder kalt.

36.   Quinoa mit Johannisbeeren

Ausbeute: 1 Portion

Zutat

- 1¾ Tasse Quinoa, abgespült

- 2⅔ Tasse Gemüsebrühe (oder Wasser)

- 4 kleine Lauch

- ½ Tasse Dosentomaten

- 5 Esslöffel Johannisbeeren

- 1 Esslöffel gemahlener Kreuzkümmel

- 1 Teelöffel Zimt

- 1 Teelöffel Knoblauchpulver

- ½ Teelöffel Kurkuma

Lauch in eine antihaftbeschichtete Pfanne geben und kochen, bis er schlaff und reduziert ist. Gewürze zum Lauch geben und umrühren, bis er gut vermischt ist.

Quinoa hinzufügen und einige Minuten kochen lassen.

Brühe[, Johannisbeeren] und Tomaten hinzufügen, aufkochen, Hitze reduzieren und zugedeckt 15-20 Minuten köcheln lassen, bis sie fertig sind.

37. Quinoa mit Shiitake-Sauce

Ausbeute: 8 Portionen

Zutat

- 1 Packung Quinoa; gespült
- 1 Packung Eden Shiitake-Pilze
- 1 mittelgroße Zwiebel
- 4 Tassen Wasser
- ¼ Tasse Eden Bio-Shoyu
- 3 Esslöffel Kudzu
- 2 Esslöffel brauner Reisessig

Quinoa nach Packungsanweisung kochen. Shiitake-Pilze etwa 30-45 Minuten weich einweichen. Bringen Sie 2 Tassen Wasser zum Kochen.

Wenn die Shiitakes weich sind, entfernen Sie den Stiel und schneiden Sie die Kappen in Scheiben. Einweichflüssigkeit und Shiitake in kochendes Wasser geben und 30 Minuten kochen lassen. In Scheiben geschnittene Zwiebeln hinzufügen, weitere 5 Minuten kochen. Restliches Wasser und Shoyu hinzufügen, aufkochen, aufgelöstes Kudzu einrühren, Hitze ausschalten. Flüssigkeit verdickt und wird klar.

Über Quinoa servieren. Mit gehackten Frühlingszwiebeln garnieren.

38.   Quinoa mit Tomaten

Ausbeute: 4 Portionen

Zutat

- 1 Tasse Quinoa

- 1 Teelöffel Butter

- 8 getrocknete Tomaten

- 2 Schalotten; gehackt

- 1 Knoblauchzehe; gehackt

- 2 Tassen entfettete Hühnerbrühe

- 1 Prise Cayennepfeffer

- 2 Esslöffel gehackte frische Petersilie

- Salz & frisch gemahlener schwarzer Pfeffer

Quinoa in ein feinmaschiges Sieb geben und unter fließendem warmen Wasser abspülen für Butter in einem schweren, med. Topf über med. Hitze. Tomaten, Schalotten und Knoblauch dazugeben und 3-5 Minuten anbraten, oder bis die Schalotten weich sind.

Brühe oder Wasser hinzufügen und zum Kochen bringen. Quinoa und Cayennepfeffer umrühren, zum Kochen bringen, dann die Hitze reduzieren und abgedeckt etwa 30 Minuten köcheln lassen, bis die Flüssigkeit aufgesogen ist. 5 Minuten ruhen lassen und die Körner mit einer Gabel auflockern, um sie zu trennen. Frische Petersilie unterrühren und mit Salz und Pfeffer würzen

Ausbeute: 1 Portion

Zutat

- 6 kleine Eichelkürbis

- 6 Tassen Wasser

- 1 Tasse gekochter Wildreis

- 1 Tasse Quinoa, gespült und gekocht

- 2 Teelöffel Pflanzenöl

- 4 Frühlingszwiebeln; gehackt

- $\frac{1}{2}$ Tasse gehackter Sellerie

- 1 Teelöffel getrockneter Salbei

- $\frac{1}{2}$ Tasse getrocknete Cranberries

- $\frac{1}{3}$ Tasse getrocknete Aprikosen; gehackt

- $\frac{1}{3}$ Gehackte Pekannüsse oder Walnüsse

- $\frac{1}{2}$ Tasse frischer Orangensaft; bis 3/4

- Salz nach Geschmack

Kürbishälften mit der Schnittfläche nach unten in eine Auflaufform oder einen Bräter legen. 25 bis 30 Minuten backen, bis sie weich sind.

In einer großen, tiefen Pfanne das Öl bei mittlerer Hitze erhitzen. Fügen Sie Frühlingszwiebeln, Sellerie und Salbei hinzu. Getrocknete Früchte und Nüsse hinzufügen und unter häufigem Rühren kochen, bis sie durchgeheizt sind. Quinoa und Wildreis mit einer Gabel auflockern und beides in die Pfanne geben. Orangensaft hinzufügen und mischen, bis er durchgewärmt ist. Mit Salz

40. Quinoa-Tofu-Auflauf

Ausbeute: 5 Portionen

Zutat

- 1½ Tasse Tofu
- 2 Teelöffel Sesamöl
- 1 Knoblauchzehe; gedrückt
- 1 Lauch; gehackt
- 2 Tassen Quinoa; gekocht
- 1 Teelöffel Meersalz ODER
- 2 Teelöffel Shoyu
- Prise schwarzer Pfeffer

- 1 Tasse Vollkornbrotbrösel

- 1 Tasse Sojamilch

Erhitzen Sie eine große Pfanne oder einen Wok und fügen Sie das Öl hinzu. Knoblauch und Lauch dazugeben. Braten, bis sie leicht gebräunt sind. Quinoa, dann Tofu hinzufügen und nach jeder Zugabe 2 Minuten anbraten. Gewürze hinzufügen.

Eine Auflaufform einfetten. Fügen Sie $\frac{1}{2}$ Tasse Semmelbrösel hinzu und drehen Sie die Auflaufform, um sie gleichmäßig zu beschichten.

Die Quinoa-Mischung vorsichtig dazugeben. In die Mitte der Quinoa eine Mulde drücken und die Sojamilch einfüllen. Mit den restlichen Semmelbröseln bedecken.

Abdecken und 20 Minuten backen. Deckel abnehmen und weitere 10 Minuten backen.

Ausbeute: 6 Portionen

Zutat

- ¾ Pfund Quinoa, gekocht

- ¼ Tasse frischer Limettensaft

- 1 Teelöffel Pfeffer, Meersalz

- 1 Serrano-Chili

- ½ Tasse Olivenöl

- 1 mittelgroße Gurke; geschält, entkernt

- 1 mittelgroße Tomate; ausgesät

- 4 Unzen Feta-Käse; zerbröckelt

- 6 Frühlingszwiebeln; Nur weiße Teile

- ½ Bund frische Minze

In einer kleinen Schüssel Limettensaft, Pfeffer, Salz und gehackten Serrano vermischen. Zusammen verquirlen, dann das Olivenöl einträufeln und verquirlen, bis es vollständig vermischt ist. In einer großen Schüssel die abgekühlte Quinoa mit Gurke, Tomate, Feta, Frühlingszwiebeln, Petersilie und Minze vermischen. Zum Mischen wenden.

In die Radicchio-Blätter häufen, diese als Tassen verwenden und nach Belieben mit Cornichons, Kapern, Wachteleiern, Feta und Oliven garnieren

Ausbeute: 4 Portionen

Zutat

- 2 Tassen Gemüsebrühe

- 1 Sehr kleine Rüben; geschält

- 1 Tasse importierter Quinoa

- 1 Esslöffel natives Olivenöl extra

- 1 Esslöffel frischer Zitronensaft

- $\frac{1}{2}$ Teelöffel frische Zitronenschale

- Meersalz

- Frisch gemahlener schwarzer Pfeffer; schmecken

- 1 Esslöffel Gehackter frischer Schnittlauch;

- Salatgemüse

- Schwarze Oliven

- Sardellenfilets

- Sauerrahm

Die Brühe in einem mittelgroßen Topf bei starker Hitze zum Kochen bringen. Rote Bete, Quinoa, Öl, Zitronensaft, Zitronenschale, Salz und Pfeffer hinzufügen und wieder aufkochen. Abdecken, Hitze reduzieren und 12 Minuten köcheln lassen, bis die Brühe aufgesogen ist. Zugedeckt 5 Minuten stehen lassen

In eine Servierschüssel kratzen, mit Schnittlauch garnieren und sofort servieren; oder kalt stellen, dann als Salat auf Grüns servieren, garniert mit schwarzen Oliven, Sardellenfilets und einem Klecks Sauerrahm.

43.   Gewürzte Quinoa-Timbales

Ausbeute: 1 Portion

Zutat

- 1 Tasse Quinoa

- 1 kleine Zwiebel; gehackt

- 1 Esslöffel Olivenöl

- 1 Teelöffel gemahlener Kreuzkümmel

- $\frac{1}{2}$ Teelöffel Zimt

- $\frac{1}{4}$ Teelöffel Kurkuma; gerundet

- 1 Tasse Hühnerbrühe

- ⅓ Tasse getrocknete Johannisbeeren oder Rosinen

- $\frac{1}{4}$ Tasse gehackte Tomaten aus der Dose

- 3 Esslöffel Fein gehackte frische Petersilienblätter

In einem schweren Topf die Zwiebel im Öl bei mäßiger Hitze unter Rühren kochen, bis sie weich ist, den Kreuzkümmel, den Zimt und die Kurkuma hinzufügen und die Mischung unter Rühren 30 Sekunden kochen lassen. Quinoa hinzufügen und die Mischung unter Rühren 1 Minute kochen lassen. Die Brühe, das Wasser, die Johannisbeeren, die Tomaten und das Salz hinzufügen und die Mischung zugedeckt 15 Minuten köcheln lassen oder bis die Flüssigkeit aufgesogen ist.

Teilen Sie die Quinoa-Mischung auf 6 gebutterte $\frac{1}{2}$-Tassen-Timbale-Formen auf, verpacken Sie sie und stürzen Sie die Timbales auf eine Platte

44. Spargel mit Quinoa

Ausbeute: 4 Portionen

Zutat

- 1 Tasse Quinoa, gekocht

- 2 Tassen Wasser

- 1 Pfund Frischer Spargel

- 2 Teelöffel Olivenöl

- Salz und Pfeffer; schmecken

Öl in einer mittelgroßen Pfanne erhitzen

Spargel und Salz und Pfeffer hinzufügen. Rühren Sie ständig, bis der Spargel zart, aber noch etwas knusprig ist (ca. 5 Minuten)

Quinoa und Spargel mischen oder nach Belieben separat servieren.

Ausbeute: 2 Portionen

Zutat

- 1½ Tasse Wasser

- 1 Esslöffel Instant-Gemüsebrühe

- 1 Tasse Quinoa, gespült

- ¾ Pfund dünnschalige Kartoffeln

- 1 Teelöffel Kreuzkümmelsamen

- ½ Teelöffel Salz; oder mehr nach Geschmack

- 1 Tasse gefrorener Mais; aufgetaut

- $\frac{1}{2}$ Tasse gewürfelte geröstete rote Paprika

- $\frac{1}{4}$ Tasse gehackter frischer Koriander

In einem mittelschweren Topf Wasser und Brühe bei starker Hitze zum Kochen bringen. Quinoa, Kartoffeln, Kreuzkümmel und Salz einrühren, zudecken und 10 Minuten köcheln lassen. Fügen Sie den Mais hinzu

Bei Bedarf mit zusätzlichem Salz würzen und Paprika und Koriander unterrühren

Tex-Mex-Quinoa-Suppe: Reste in einen Topf mit Gemüsebrühe rühren. Mit einem Spritzer Limette beleben.

46.   Quinoa sautiert mit Orange

Ausbeute: 4 Portionen

Zutat

- ⅓ Tasse Quinoa, gekocht

- 2 Teelöffel Olivenöl

- 1 Zwiebel; gehackt

- 3 Karotten; gerieben

- 2 Knoblauchzehen; gehackt

- ½ Teelöffel gemahlener Kreuzkümmel

- 1 Tasse Kichererbsen aus der Dose

- ½ Tasse Orangensaft

- ¼ Tasse Rosinen

- ¼ Teelöffel Salz

- ⅛ Teelöffel Zimt

- 1 Esslöffel gehackter Koriander

In einer mittelgroßen beschichteten Pfanne das Öl erhitzen. Fügen Sie die Zwiebel hinzu; kochen und nach Bedarf umrühren, bis sie weich sind, etwa 5 Minuten. Fügen Sie die Karotten, den Knoblauch und den Kreuzkümmel hinzu; kochen und nach Bedarf umrühren, bis die Karotten zusammengefallen sind, ca. 2 Minuten.

Quinoa, Kichererbsen, Orangensaft, Rosinen, Salz und Zimt unterrühren; zugedeckt kochen, bis der Saft aufgesogen und die Aromen vermischt sind, ca. 10 Minuten. Koriander unterrühren.

47.   Gemüse- und Quinoa-Tortillas

Ausbeute: 16 Portionen

Zutat

- 1 Tasse Wasser

- $\frac{1}{2}$ Tasse Quinoa; gut gespült und gekocht

- 2 kleine Schalotten; gehackt

- $\frac{1}{2}$ Tasse fein geriebene Karotten

- $\frac{1}{2}$ Tasse gehackter roter Pfeffer

- 1 großes Ei

- $\frac{3}{4}$ Tasse schnell kochende Haferflocken

- $\frac{3}{4}$ Tasse Vollkorngebäckmehl

- $\frac{3}{4}$ Tasse ungebleichtes Weißmehl

- ⅓Tasse geriebener Parmesankäse

- $\frac{1}{2}$ Teelöffel Salz

- $\frac{1}{2}$ Teelöffel Zerbröckelter trockener Oregano

Kombinieren Sie Schalotten, Karotten, Paprika und Eier. Fügen Sie die warme Quinoa, Haferflocken, Mehl, Käse, Salz und Oregano hinzu. Mischen, bis der Teig zusammenkommt.

Teig zu einem Zylinder formen, ruhen.

Mit einer Tortillapresse oder einem Nudelholz jede Portion in dünne, 15 cm lange Runden formen. 30 Sekunden auf der ersten Seite backen. Wenden und 1 Minute auf der zweiten Seite backen, dann auf die erste Seite zurückdrehen und die letzten 30 Sekunden backen.

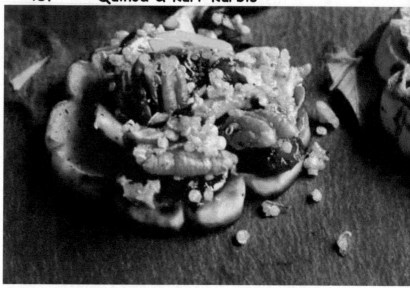

Ausbeute: 1 Portion

Zutat

- Weißwein- oder Gemüsebrühe

- 1 mittelgroße Zwiebel, gehackt

- 8 bis 10 Champignons, in Scheiben geschnitten

- 1 große Paprika, gewürfelt

- 1 Jalapenopfeffer

- 1 kleine Zucchini, gewürfelt

- 2 Knoblauchzehen, gehackt

- 3 Tassen Wasser

- 1½ Tasse Quinoa, gut gespült

- 2 Tassen geschälte und gewürfelte rote Kuri,

- Kürbis oder anderer Winterkürbis

- 1 Tasse gehackter Grünkohl oder Eskariol

- 2 Esslöffel frische Petersilie

- Salz Pfeffer

Backofen auf 400 Grad vorheizen. Zwiebel, Champignons, Paprika, Zucchini und Knoblauch mit Wein oder Brühe ca. 5 Minuten anbraten

Restliche Zutaten einrühren und aufkochen.

Mischung in eine 9x13 Auflaufform geben und abdecken. Backen, bis die Flüssigkeit aufgesogen ist, etwa 35 bis 40 Minuten. Aus dem Ofen nehmen und mit einer Gabel auflockern. Vor dem Servieren 5 Minuten stehen lassen.

Ausbeute: 6 Portionen

Zutat

- 1 Esslöffel Sesamöl

- 1 kleine Zwiebel

- $1\frac{1}{4}$ Tasse Quinoa, gründlich gespült

- 1 kleine rote Paprika, gewürfelt

- 3 Tassen Wasser

- 1 Teelöffel Tamari Sojasauce

- 1 Teelöffel frischer Rosmarin ODER

- $\frac{1}{2}$ Teelöffel getrockneter Rosmarin

- 1 Tasse frische oder gefrorene Erbsen

- ½ Tasse Walnüsse, gehackt

Ofen vorheizen auf 350 Grad. Öl in einem Topf erhitzen und Zwiebel und Quinoa dazugeben. Bei mittlerer Hitze unter ständigem Rühren 3 Minuten anbraten.

Fügen Sie rote Paprika hinzu und braten Sie weitere 2 Minuten. Wasser, Sojasauce und Rosmarin hinzufügen. (Wenn Sie frische Erbsen verwenden, fügen Sie sie jetzt hinzu.) Bringen Sie den Inhalt zum Kochen; abdecken und 15 Minuten köcheln lassen.

In der Zwischenzeit die Walnüsse 5 Minuten im Ofen bei 350 Grad rösten. Wenn Quinoa gekocht ist, die Hitze ausschalten und Walnüsse und gefrorene Erbsen untermischen.

50. Wildreis mit Quinoa

Ausbeute: 3 Portionen

Zutat

- $2\frac{1}{2}$ Tasse Wasser

- 1 Teelöffel Sojasauce

- $\frac{1}{2}$ Tasse Wildreis, gewaschen und eingeweicht

- $\frac{1}{2}$ Tasse Quinoa

Wasser und Sojasauce in einen Topf geben und bei mittlerer Hitze zum Kochen bringen. Wildreis hinzugeben & zugedeckt Hitze reduzieren & 30 Minuten köcheln lassen.

Quinoa dazugeben, zugedeckt weitere 20 Minuten köcheln lassen oder bis das Wasser vollständig aufgesogen ist.

Vom Herd nehmen und 5 Minuten zugedeckt dämpfen lassen. Mit einer Gabel auflockern.

FAZIT

Der Umfang der Forschung zu Quinoa ist im Laufe der Jahre enorm gewachsen, zum Teil wegen des Hypes, aber zum größten Teil aufgrund der ständig anerkannten gesundheitlichen Vorteile des Samens. Das nährstoffreiche Pseudo-Getreide soll das Risiko einer Reihe von Krankheiten reduzieren und einen idealen proteinreichen Ersatz für glutenfreie Ernährung bieten.

Vollkornprodukte wie Quinoa gelten aufgrund ihres hohen Ballaststoffgehalts als vorbeugend für bestimmte Krebsarten. Eine Studie aus dem Journal of Nutrition legt nahe, dass die Ballaststoffe in Vollkornprodukten dazu beitragen können, den LDL- oder „schlechten" Cholesterinspiegel zu senken, die Gesundheit des Verdauungssystems zu verbessern und möglicherweise das Risiko für einige Magen-Darm-Krebsarten wie Dickdarmkrebs zu senken.